Envie d'évasion
Getaway

Morbihan

Texte et photographies : **Emmanuel Berthier**

Editions OUEST-FRANCE

Le golfe du Morbihan

Gulf of Morbihan

A bord du vieux gréement « Joli Vent ».
On board the traditional sailing boat Joli Vent.

Née il y a plus de 2000 ans au fond du golfe du Morbihan, Vannes cumule les atouts, et son dynamisme témoigne de sa situation exceptionnelle. La ville a gardé du Moyen Âge une grande partie de ses fortifications, et de nombreuses maisons à pans de bois, notamment autour de la cathédrale, dans le quartier animé de Saint-Patern ou le port de plaisance.

Founded over 2000 years ago, Vannes is a bustling town with many assets that makes the most of its exceptional location in the heart of the Gulf of Morbihan. The town still has many of its medieval fortifications and half-timbered houses, particularly around the cathedral, in the lively quarter of Saint-Patern and near the marina.

Les maisons à pans de bois sur la rive droite.
Half-timbered houses on the right bank.

La cathédrale Saint-Pierre, étape du fameux Tro Breizh.
The cathedral of Saint-Pierre, a stage on the famous Tro Breizh pilgrim route.

Une soirée estivale dans la rue de la Fontaine.
A summer evening in rue de la Fontaine.

Le jardin des remparts et la tour du Connétable.
Rampart garden and tour du Connétable, *or Constable's tower.*

Vannes
Vannes

Les quais rénovés du port de plaisance.
The renovated quays of the marina.

Le port de plaisance, *la capitainerie* et son restaurant.
The marina, the capitainerie, or port authority buildings and its restaurant.

Un patrimoine et une situation privilégiés
A unique heritage and setting

Bord de mer
et chemin du littoral.
Coastline and coastal path.

L'hôtel de ville de style
Renaissance italienne.
*The town hall
built in the Italian
Renaissance style.*

Classée ville d'art et d'histoire, Vannes abrite de nombreux monuments et lieux culturels. La découverte du patrimoine de l'intra-muros est particulièrement agréable en été, où les visites se ponctuent de pauses aux terrasses des cafés ou le long du littoral du golfe du Morbihan.

Classified a town of art and history, Vannes has many monuments and cultural venues. Discovering the heritage inside the town walls is particularly pleasant in the summertime, when you can take a break at the café terraces or along the coastline of the Gulf of Morbihan.

Église Saint-Patern. *The church of Saint-Patern.*

Un des symboles de la ville, le buste de Vannes et sa femme. *The bust of Vannes and his wife, one of the symbols of the town.*

L'arrivée d'une régate de vieux gréements sur l'île d'Arz.
A fleet of traditional sailing boats arrives in Ile d'Arz.

P armi les innombrables îles du golfe du Morbihan, seules deux sont érigées en communes : l'île d'Arz et l'île aux Moines, chacune accessible après un court trajet en bateau depuis les embarcadères de Vannes, Séné ou Larmor-Baden. Les points communs des deux sites ? Un environnement préservé, une ambiance insulaire et une population multipliée par dix en été...

Of the innumerable islands in the Gulf of Morbihan, only two rank as communes: Ile d'Arz and Ile aux Moines, both of which are a short boat-ride from Vannes, Séné or Larmor-Baden. What both islands have in common is an unspoilt environment, an island atmosphere and a population that increases tenfold in the summer.

Aborder l'île d'Arz en voilier permet de découvrir de superbes criques.
Sailing around Ile d'Arz reveals magnificent coves.

Le sentier du littoral de l'île aux Moines.
The coastal path on Ile aux Moines.

Vue aérienne du golfe du Morbihan et de l'île aux Moines.
Aerial view of the Gulf of Morbihan and Ile aux Moines.

Île d'Arz et île aux Moines
Ile d'Arz and Ile aux Moines

Roses trémières d'une ruelle de l'île d'Arz.
Hollyhocks in an alleyway in Ile d'Arz.

Au bord de l'eau, le bourg de Séné.
The town of Séné on the sea.

Séné, entre terre et mer
Séné, caught between land and sea

La Réserve naturelle de Falguérec, d'anciens marais salants.
Old salt marshes at Falguérec nature reserve.

Rare spectacle des « Amis du sinagot » teignant la voile d'un bateau récemment restauré.
A rare glimpse of members of the association "Amis du sinagot" dyeing the sail of a recently restored boat.

Avec ses 47 km de littoral découpé, Séné présente de nombreux ports et petites plages : Port-Anna, Moustérian, Bararac'h, Montsarrac... idéal pour s'initier à la voile, notamment sur les vieux gréements typiques de la commune : les sinagots, des voiliers de travail à fond plat et à deux voiles rouges, adaptés à la pêche et à la navigation dans le golfe du Morbihan.

With its 47 km of jagged coastline, Séné has many harbours and little beaches such as Port-Anna, Moustérian, Bararac'h and Montsarrac. This area is ideal for learning how to sail, in particular on the traditional sinagots, flat-bottomed boats with two red sails specially adapted for fishing and navigating around the Gulf of Morbihan.

Port-Anna pendant la Semaine du golfe.
Port-Anna during Semaine du golfe, *or Gulf week.*

Girouette à la silhouette d'un sinagot.
Wind vane shaped like a sinagot.

La plage de Saint-Pierre de Locmariaquer, un soir d'été.
The beach of Saint-Pierre de Locmariaquer on a summer evening.

Locmariaquer est, par la mer, à quelques centaines de mètres seulement du port de Crousty, dans la presqu'île de Rhuys, mais, par la route, à plus d'une heure ! Elle ferme à l'ouest le golfe du Morbihan. Cette mer intérieure d'une centaine de kilomètres carrés, parsemée d'îles, donna son nom au département, *Mor Bihan* signifiant « petite mer » en breton.

Locmariaquer is just a few hundred metres by sea from Port-Crouesty on the Rhuys peninsula but it is over an hour away by road! It is on the western tip of the Gulf of Morbihan. This inland sea, which measures a hundred square kilometres and is scattered with dozens of islands, gave its name to the region: Mor Bihan, *meaning little sea in Breton.*

Pointe de Kerpenhir avec la statue de Notre-Dame de Kerdro : l'entrée du golfe.
Kerpenhir headland with the statue of Notre-Dame de Kerdro at the entrance to the Gulf.

Dolmen des Pierres-Plates.
The Dolmen of Pierres-Plates, or the flat stones.

Le bourg de Locmariaquer, au bord de l'eau.
The town of Locmariaquer on the sea.

Locmariaquer
Locmariaquer

Le Grand Menhir brisé.
The Grand Menhir brisé.

Pointe de Penvins et chapelle Notre-Dame de la Côte.
Penvins headland and the chapel of Notre-Dame de la Côte.

La presqu'île de Rhuys
Rhuys Peninsula

Vestige du néolithique, le cairn du Petit-Mont à Arzon.
The cairn of Petit-Mont in Arzon, a Neolithic ruin.

Parmi les mieux préservés : le moulin à marée de Pen-Castel.
The tidal mill of Pen-Castel, one of the best preserved in the region.

Au nord de la presqu'île, le golfe du Morbihan et son littoral découpé recèlent de nombreux îlots, vasières, criques et moulins à marée restaurés que l'on découvre en empruntant le sentier du littoral entre Saint-Armel et Arzon. Son littoral sud offre, entre des pointes rocheuses, une succession de grandes plages sableuses : Penvins, Suscinio, Banastère, Le Roaliguen...

To the north of the peninsula, the Gulf of Morbihan and its jagged coastline hide a multitude of tiny islets, mud flats, coves and restored tidal mills ready to be discovered along the coastal path between Saint-Armel and Arzon. The southern coastline boasts a succession of large sandy beaches sandwiched between rocky headlands: Penvins, Suscinio, Banastère, Le Roaliguen, etc.

Le plus grand port de plaisance de Bretagne : Port-Crouesty.
Port-Crouesty, the largest marina in Brittany.

Marin devant les vieux gréements à quai pendant la Semaine du golfe.
A sailor in front of traditional sailing boats in port during Gulf week.

Route de l'Huître
Chantier du Ruaud

Gîtes

La route de l'huître.
The oyster route.

La journée peut commencer par la visite du château de Suscinio, une forteresse médiévale magnifiquement restaurée. La découverte continue par une escale culinaire à Saint-Gildas-de-Rhuys ou sur l'adorable port du Logeo pour un repas de poissons frais. En longeant la côte par la route de l'huître, on arrive aux marais salants de Lasné, toujours en activité.

One way to start the day is with a visit to Château de Suscinio, a medieval fortress that has been magnificently restored. The next stop will be for a meal of fresh fish at Saint-Gildas-de-Rhuys or the delightful harbour of Logeo. Along the oyster route further up the coast are the salt marshes of Lasné, which are still in operation.

Le château de Suscinio.
Château de Suscinio.

Restaurant du petit port du Logeo, à Sarzeau.
A restaurant in the little harbour of Logeo, in Sarzeau.

Une ruelle de Saint-Gildas-de-Rhuys.
An alleyway in Saint-Gildas-de-Rhuys.

Trésors de la presqu'île de Rhuys
The treasures of the Rhuys peninsula

Marais salants de Lasné, refuge d'une riche avifaune.
The salt marshes of Lasné provide shelter to many different species of birds.

Le port de Saint-Goustan, un soir d'été.
The harbour of Saint-Goustan on a summer evening.

Auray
Auray

L'un des principaux lieux
de pèlerinage de Bretagne :
Sainte-Anne-d'Auray.
*Sainte-Anne-d'Auray, a major
pilgrimage destination in Brittany.*

Le pardon, une forme
de pèlerinage
typiquement bretonne.
The pardon, *a form of
pilgrimage typical of Brittany.*

Le port de Saint-Goustan est une escale incontournable lors d'un circuit touristique dans le golfe du Morbihan. À l'origine de la ville d'Auray, il a été un port de commerce très actif jusqu'au XIXᵉ siècle. Aujourd'hui, les maisons à colombages de la place Saint-Sauveur et le pittoresque quai Benjamin-Franklin accueillent chaque année de nombreux visiteurs.

The harbour of Saint-Goustan is an essential stage on any trip around the Gulf of Morbihan. The town of Auray was founded here and it was a highly active trading port right up to the 19th century. Nowadays, the half-timbered houses on place Saint-Sauveur and the picturesque quai Benjamin-Franklin attract many visitors every year.

Rue du Belzic à Auray.
Rue du Belzic in Auray.

Statue de saint Goustan de la rue Saint-René, patron des marins et des pêcheurs.
Statue of Saint Goustan in rue Saint-René, patron saint of sailors and fishermen.

Situé au confluent des rivières du Bono et d'Auray qui se jettent dans le golfe du Morbihan, le bourg du Bono révélera ses charmes à ceux qui prendront le temps de s'y arrêter. Ils découvriront alors l'un des plus agréables itinéraires de randonnée : à l'ombre des pins, le sentier vous mènera par un pont suspendu au mystérieux cimetière de bateaux...

Located at the meeting of the Le Bono and Auray rivers, which flow into the Gulf of Morbihan, the town of Le Bono will unveil its charms to those who take the time to linger here. Visitors will discover a very pleasant walking route: shaded by pine trees, the path will lead you along a suspension bridge to the mysterious boat cemetery.

Le port du Bono au lever du jour.
The harbour of Le Bono at dawn.

Cimetière de bateaux sur la rivière du Bono.
The boat cemetery on the Le Bono river.

Le pont suspendu, inscrit aux monuments historiques.
The suspension bridge, a listed historical monument.

Le port du Bono.
The harbour of Le Bono.

Le Bono
et la rivière d'Auray
Le Bono and the Auray river

Lever de soleil sur la rivière d'Auray.
Dawn over the Auray river.

Des îles et des plages

Islands and beaches

Plage du Donant à Belle-Île.
Donant beach at Belle-Île.

Située entre le golfe du Morbihan et la presqu'île de Quiberon, Carnac est une des stations balnéaires les plus connues de la côte atlantique et un haut lieu de la préhistoire en Europe. Avec près de 3000 menhirs, le site constitue même l'un des plus grands ensembles mégalithiques au monde.

Located between the Gulf of Morbihan and the Quiberon peninsula, Carnac is one of the best-known seaside resorts on the Atlantic coast and one of Europe's most renowned prehistoric sites. With almost 3,000 menhirs, the site has one of the largest megalithic collections in the world.

Chapelle au sommet du tumulus Saint-Michel.
The chapel above the burial mound of Saint Michel.

Les vacances à Carnac : une mer transparente et une plage de sable fin.
Holidays in Carnac: a translucent sea and a fine sandy beach.

Instantané à l'abbaye Saint-Michel de Kergonan.
A snapshot of the abbey of Saint-Michel de Kergonan.

Dolmen de Mané-Kerioned.
The dolmen of Mané-Kerioned.

Carnac
Carnac

Alignements mégalithiques de Kermario.
The standing stones of Kermario.

Sable fin et océan bleu profond, l'ambiance atlantique.
The Atlantic atmosphere – fine sand and the deep blue ocean.

An Ardeven, le pays de la dune
An Ardeven, land of dunes

Des plages prisées
par les kite-surfeurs.
*Beaches prized
by kite-surfers.*

Alignements
mégalithiques
de Kerzerho.
*The standing stones
of Kerzerho.*

Entre Erdeven et Étel s'étend l'une des plus longues étendues de sable du Morbihan, des kilomètres de dunes conservées où fleurissent orchidées sauvages, euphorbes et asphodèles. Erdeven est également riche d'un patrimoine préhistorique remarquable et une destination de surf prisée.

Between Erdeven and Étel lies one of the longest stretches of sand in the Morbihan region, with kilometres of preserved dunes where wild orchids, euphorbia and asphodels flourish. Erdeven also has a rich prehistoric heritage and is a top surfing destination.

Menhirs de Kerzerho au coucher du soleil.
The menhirs of Kerzerho at sunset.

Le dolmen de Crucuno, au milieu du village du même nom.
The Crucuno dolmen in the heart of the village of the same name.

Un paysage minéral, la côte sauvage en été.
A mineral landscape, the unspoiled coast in summer.

La presqu'île de Quiberon
The Quiberon peninsula

Fort de Penthièvre
un jour de grand vent.
A storm on the unspoiled coast.

Tempête sur la
côte sauvage.
*A mineral landscape, the
unspoiled coast in summer.*

Rattachée au littoral par l'isthme de Penthièvre, la presqu'île de Quiberon offre les paysages les plus spectaculaires du Morbihan. À l'automne surtout, le vent souffle et la houle de l'océan Atlantique s'abat avec fracas sur les falaises ouest de la côte sauvage. Le contraste est alors saisissant avec la baie de Quiberon à l'est, un vaste plan d'eau abrité des vents dominants.

Linked to the coast by the Penthièvre isthmus, the Quiberon peninsula boasts the most spectacular landscapes in the Morbihan region. In autumn especially, strong winds blows and high Atlantic waves crash down on the western cliffs of the unspoiled coast. The contrast is remarkable with the bay of Quiberon to the east, a vast expanse of water sheltered from the prevailing winds.

Pen er Lé et la plage des Sables Blancs.
Pen er Lé and Sables Blancs beach.

Vue aérienne de la Grande Plage.
Aerial view of Grande Plage beach.

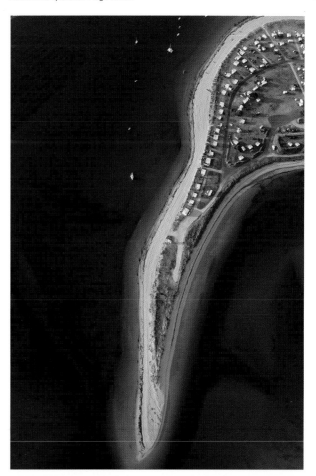

La plus grande des îles bretonnes est incontournable lors d'un séjour dans le Morbihan. Le climat océanique et l'ensoleillement important apportent une vraie douceur de vivre, un atout de plus pour cette île qui bénéficie de nombreuses richesses naturelles : criques secrètes, falaises impressionnantes, sentiers côtiers et ports de charme.

The largest island in Brittany is a must-see for visitors to the Morbihan region. Its ocean climate and plentiful sunshine make for a gentle way of life here, yet another asset for this island which already has so many natural riches: secret coves, impressive cliffs, coastal paths and charming harbours.

La citadelle du Palais, renforcée par Vauban.
Palais citadel, which was reinforced by Vauban.

Cavalières sur la plage du Donant.
Horse riders on Donant beach.

La superbe plage d'Herlin.
Magnificent Herlin beach.

Les aiguilles de Port-Coton.
Les Aiguilles rock formation, Port Coton

Belle-Île-en-Mer
la bien nommée
The fittingly named Belle-Île-en-Mer

Le port de Sauzon, avec ses maisons aux façades colorées.
Sauzon harbour with its coloured houses.

Plage à l'est de Hoëdic.
Beach on the eastern side of Hoëdic.

Houat et Hoëdic
Houat and Hoëdic

Le port de Houat
et ses bateaux de pêche
colorés.
*Houat harbour and its
colourful fishing boats.*

Le port Saint-Goustan
à Hoëdic.
*Saint-Goustan harbour
in Hoëdic.*

Comme pour Belle-Île-en-Mer,
l'embarcadère pour Houat et Hoëdic
se situe à la pointe de la presqu'île de
Quiberon. Parcourir sans voiture ces îles aux
adorables bourgs constitués de maison blanches
et aux plages de sable fin à l'eau turquoise
constitue une paisible excursion.

As for Belle-Île-en-Mer, the landing stage for Houat and
Hoëdic is located at the headland of the Quiberon
peninsula. Discovering these islands on foot with their
delightful villages of white houses and fine sandy beaches
with clear blue water is a lovely way to spend the day.

Les dunes de Hoëdic. *The dunes of Hoëdic.*

Maison typique du bourg de Hoëdic.
A typical village house in Hoëdic.

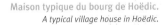

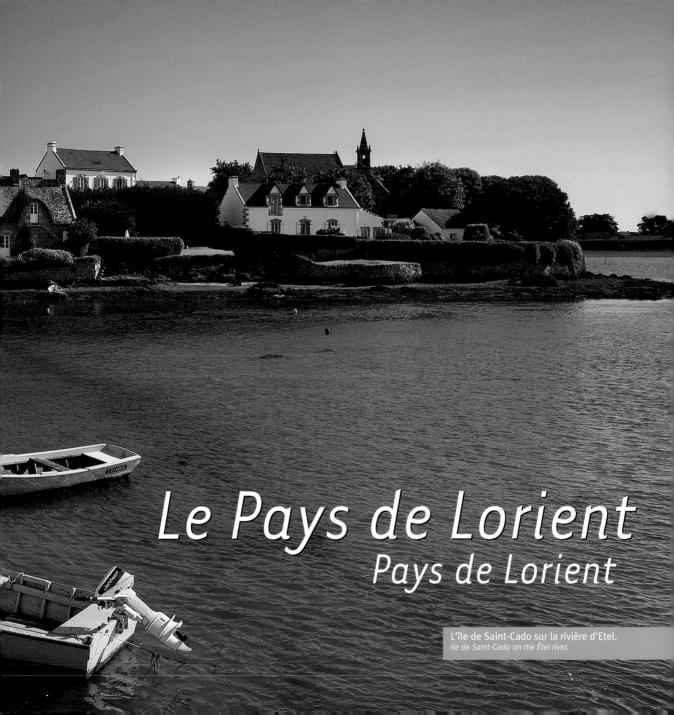

Le Pays de Lorient

Pays de Lorient

Tournée vers la rade de Lorient et l'Océan, cette ville était autrefois surnommée « la ville aux cinq ports ». Mais aujourd'hui encore, militaires, pêcheurs, navires de commerce, voyageurs en provenance de Groix ou Belle-Île et plaisanciers continuent de débarquer à Lorient, reconnue pour son dynamisme et son célèbre Festival interceltique.

This town, which faces the bay of Lorient and the ocean, used to be called the town with five harbours. Still today, soldiers, fishermen, merchant ships, travellers from Groix and Belle-Ile and holiday-makers continue to arrive in Lorient, which is renowned for its dynamism and for the famous Interceltic Festival.

Port-Tudy sur l'île de Groix.
Port-Tudy on Ile de Groix.

Un joueur de cornemuse, ou bignoù en breton, lors du Festival interceltique.
A man playing the bagpipes known as bignoù in Breton, at the Interceltic Festival.

La rade de Lorient à marée basse.
The bay of Lorient at low tide.

La Cité de la Voile Éric-Tabarly.
La Cité de la Voile Éric-Tabarly [sailing museum].

Lorient
Lorient

La base de sous-marin et le bateau-bus,
qui relie Lorient à Port-Louis.
*The submarine base and river bus, which links
Lorient and Port-Louis.*

La citadelle de Port-Louis.
The citadel of Port-Louis.

Port-Louis et ses environs
Port-Louis and its environs

La maison de l'île Kerner permet de découvrir l'environnement de la petite mer de Gâvres.
The Île Kerner museum tells visitors about the inland lagoon of Gâvres.

Muséographie de la maison de l'île Kerner.
Exhibits in the Île Kerner museum.

De son riche passé en tant que port de la Compagnie des Indes sous Colbert, Port-Louis garde un caractère historique, un musée et une superbe citadelle. Les environs méritent un détour, notamment les espaces naturels qui ceinturent la petite mer de Gâvres jusqu'à la presqu'île du même nom. Celle-ci communique avec le continent par un étroit cordon dunaire, ou tombolo.

Port-Louis used to be a port of the French East India Company under Colbert and it retains many traces of this rich past, including its historical character, a museum and a superb citadel. The surrounding area is worth a visit, particularly the natural areas around the inland lagoon of Gâvres and up to the peninsula of the same name. The peninsula is linked to the mainland by a narrow strip of dunes or tombolo.

Les vastes plages de la presqu'île de Gâvres.
The huge beaches on the Gâvres peninsula.

Tourelle de la citadelle de Port-Louis.
A turret of the citadel of Port-Louis.

Sous ses airs de ria charmante et paisible, cette petite baie parsemée d'îlots peut rendre la navigation particulièrement difficile. Suivez le courant de la marée descendante vers l'océan Atlantique et vous déboucherez au niveau de la barre d'Étel, un banc de sable sous-marin à la position mouvante, formé par le croisement de puissants courants.

Beneath its peaceful, charming air, this little bay scattered with islets can be extremely difficult to navigate. Follow the current of the outgoing tide to the Atlantic Ocean and you will come to the shifting underwater sandbar of Étel, which is shaped by powerful currents.

La barre d'Étel et son étang arrière-dunaire.
Étel sandbar and lake located behind the dunes.

Île de Saint-Cado : la rue du Calvaire.
Rue du Calvaire on the island of Saint-Cado.

Restaurants du cours des quais à Étel.
Restaurants lining the quays of Étel.

L'île de Nichtarguer et son abri ostréicole.
The island of Nichtarguer and its oyster house.

La ria d'Étel
The Étel estuary

L'adorable île de Saint-Cado.
The delightful island of Saint-Cado.

Le long du Blavet.
Along the Blavet river.

Hennebont
Hennebont

Le bâtiment de l'abbaye cistercienne, fondée au XIIIe siècle.
The Cistercian abbey, founded in the 13th century.

Au cœur d'un parc arboré, les Haras d'Hennebont ont été le berceau du cheval de trait breton.
The national stud farm of Hennebont, nestled in a wooded park, is the home of the Breton workhorse.

Le long du Blavet, cette cité médiévale érige ses remparts depuis le XIIIᵉ siècle. Connue pour ses importantes forges au XIXᵉ, puis pour les Haras nationaux qui s'installèrent sur le site de l'ancienne abbaye de la Joye Notre-Dame en 1857, Hennebont est aujourd'hui un lieu important pour le développement du cheval breton.

The ramparts of this medieval town along the Blavet river date back to the 13th century. Known in the 19th century for its large forges and later for the national stud farm which was established on the site of the former abbey of Joye Notre-Dame in 1857, Hennebont is now a major site for Breton horse-breeding.

Les remparts. *The ramparts.*

La porte Broërec'h.
Porte Broërec'h.

Le manoir de Tronjolly à Gourin.
The manor house of Tronjolly in Gourin.

I l faut s'éloigner un peu du littoral et s'égarer dans les vallées verdoyantes du Scorff et du Blavet pour découvrir les sites surprenants et insolites de l'intérieur du département : depuis l'abbaye de Langonnet et son musée africain en passant par la statue de la Liberté de Gourin, symbole d'une émigration des Bretons de la région vers New York !

You have to leave the coast and wander through the green valleys of the Scorff and Blavet rivers to discover the amazing and unusual sites of the interior – from the abbey of Langonnet and its African museum to the Statue of Liberty in Gourin, which symbolises the Bretons who emigrated from the region to New York.

L'abbaye de Langonnet.
The abbey of Langonnet.

La statue de la Liberté à Gourin.
Statue of Liberty in Gourin.

Les peintures de l'église de Kernascléden.
Paintings in the church of Kernascléden.

Jubé en bois polychrome de la chapelle Saint-Nicolas.
Multicoloured wooden rood screen in the chapel of Saint-Nicolas.

En s'approchant du Finistère
On the way to Finistère

Les halles du Faouet.
The covered market of Faouet.

Le Morbihan
entre landes et forêts

Morbihan caught between moors and forests

L'intérieur du Morbihan recèle de nombreuses cités au riche passé historique. La plus importante est Pontivy, appelée au XIXᵉ siècle Napoléonville. Les rues tracées au cordeau et les bâtiments institutionnels construits sous l'Empire contrastent avec la partie médiévale de la ville et le château des Rohan.

The interior of Morbihan harbours many towns with a rich historical past. The most significant of these is Pontivy, which was renamed Napoleonville in the 19th century. The regimented street plan and institutional buildings dating from the Second Empire stand in marked contrast to the medieval part of the town and Château des Rohan.

Les imposantes tours du château des Rohan.
The imposing towers of Château des Rohan.

Le centre ville
The town centre.

La cour intérieure du château médiéval.
The inner courtyard of the medieval castle.

Pontivy, les rives du Blavet.
The banks of the Blavet in Pontivy.

Pontivy
Pontivy

Péniche *La Duchesse Anne* sur le Blavet, qui abrite l'office de tourisme.
La Duchesse Anne barge on the Blavet river, which houses the tourist office.

Les jardins du château.
The castle gardens.

Josselin
Josselin

La basilique
Notre-Dame-du-Roncier.
The basilica of Notre-Dame-du-Roncier.

La rue des Vierges.
Rue des Vierges.

raversée par l'Oust et bâtie de maisons médiévales dans une petite vallée verdoyante, Josselin offre une vue des plus pittoresques. La ville abrite un imposant château construit à la fin du XVᵉ siècle à l'initiative de Jean II de Rohan, mais sur des bases plus anciennes. Aujourd'hui, le site se visite et est devenu le lieu de nombreuses expositions.

Josselin is a very picturesque little town full of medieval houses nestled in a little green valley on the Oust river. The town has an imposing castle built in the late 15th century by Jean II of Rohan on the site of even older buildings. Nowadays, the site is popular with visitors and houses many exhibitions.

Château des Rohan se reflétant dans l'Oust
Château des Rohan reflected in the Oust river.

Dominant le canal de Nantes à Brest, le château des Rohan.
Château des Rohan overlooking the Nantes-to-Brest Canal.

Il faut marcher entre les landes et les bois pour arriver aux promontoires granitiques qui offrent les paysages les plus grandioses sur le lac de Guerlédan et la forêt de Quénécan. Formé en 1930 pour alimenter le barrage électrique, le lac de Guérlédan est aujourd'hui un lieu où l'on peut pratiquer de nombreuses activités nautiques.

You have to walk through moors and woods to arrive at the granite headlands which boast the finest views over Guerlédan lake and the forest of Quénécan. Formed in 1930 to supply a hydroelectric dam, Guerlédan lake is now a place where many water sports can be enjoyed.

L'un des plus grands lacs artificiels de Bretagne.
One of the largest artificial lakes in Brittany.

Cavalière dans les allées de la forêt de Quénécan.
A horse rider in the paths of Quénécan forest.

Ponton de la rive sud.
Landing stage on the south bank.

Le lac de Guerlédan à l'aube.
Guerlédan lake at dawn.

La forêt de Quénécan
The Forest of Quénécan

Le canoë est un bon moyen de découvrir le site.
Canoeing is a great way to discover the area.

Au cœur du pays de Rohan, Notre-Dame de Timadeuc est une abbaye de moines cisterciens-trappistes fondée en 1841. De nombreux visiteurs se déplacent pour écouter les chants grégoriens et acheter la production des moines : pâtes de fruits naturelles et fromages dont le fameux Trappe de Timadeuc.

In the heart of pays de Rohan, Notre-Dame de Timadeuc is a Cistercian Trappist monastery, founded in 1841. Many visitors come here to listen to the Gregorian chants and buy the monks' wares of natural fruit spreads and cheeses including the famous Trappe de Timadeuc cheese.

Un lieu et une ambiance intemporels.
A timeless location and atmosphere.

Un savoir-faire artisanal renommé.
Renowned craftsmen's skills.

Le magasin et l'accueil de l'abbaye.
The shop and reception area of the abbey.

Vue générale de l'abbaye.
General view of the abbey.

L'abbaye de Timadeuc
The abbey of Timadeuc

Certaines parties de l'abbaye resteront mystérieuses...
Some parts of the abbey remain mysterious...

Péniches sur l'Oust.
Barges on the Oust river.

Le canal de Nantes à Brest
The Nantes-to-Brest canal

Le passage d'une écluse.
Passing through a lock.

L'écluse de Coetrecat.
Coetrecat lock.

Le chemin de halage permet de se promener à l'ombre des arbres le long du canal de Nantes à Brest. À pied, à vélo ou en louant une péniche, il est ainsi possible de traverser la Bretagne intérieure par cette voie navigable. Long de 384 km et franchissant 238 écluses, le canal a été un important chantier de la première moitié du XIXe siècle.

Visitors can follow the towpath shaded by trees along the Nantes-to-Brest Canal, which crosses inland Brittany, on foot, by bicycle or by rented barge. The waterway is 384 km long and has 238 locks and it was an major building project in the first half of the 19th century.

Promenade Jean-Davalo à Malestroit, le long du canal.
Promenade Jean-Davalo in Malestroit, along the canal.

Balade à vélo sur le chemin de halage.
Cycling along the towpath.

É comusées et villages restaurés retracent la vie rurale d'autrefois. Le village médiéval de l'An Mil à Melrand, celui de Poul-Fetan sur la commune de Quistinic ou l'écomusée de Saint-Dégan à Brec'h : tous valorisent un patrimoine à travers des reconstitutions, des chaumières restaurées avec des matériaux traditionnels et des artisans montrant leur savoir-faire.

Eco-museums and restored villages retrace the rural life of times past. The medieval 'Village de l'An Mil' in Melrand, the medieval village of Poul-Fetan near Quistinic and the eco-museum of Saint-Dégan in Brec'h all pay homage to the region's heritage through re-enactments, thatched cottages restored with traditional materials, and craftsmen showcasing their skills.

Quistinic, le village de Poul-Fétan.
Quistinic, the village of Poul-Fétan.

Le bocage du village de l'An Mil.
The woodland in village de l'An Mil.

Une visite au Moyen Âge à Melrand.
Travel back to the Middle Ages in Melrand.

L'écomusée de Saint-Dégan, à Brec'h.
The eco-museum of Saint-Dégan, in Brec'h.

Écomusées
Eco-museums

Une des 228 variétés de pomme du verger
conservatoire de Saint-Dégan.
*One of the 228 varieties of apple at the conservation
orchard of Saint-Dégan.*

Domaine mégalithique des Pierres droites à Monteneuf.
The megalithic site of Pierres Droites, or standing stones, in Monteneuf.

Le pays de Ploërmel
Pays de Ploërmel

Les hortensias qui bordent le lac.
Hydrangea on the banks of the lake.

L'atmosphère paisible de l'entrée de l'Yvel dans le lac au Duc.
The peaceful atmosphere of the Yvel river in Lac au Duc.

D'un accès aisé par la voie rapide entre Vannes et Rennes, Ploërmel attire les visiteurs qui viennent déambuler dans le centre historique ou randonner le long des 15 km du « Tour du lac ». L'étang au Duc, qui doit probablement son nom aux ducs de Bretagne qui l'auraient aménagé dès le XIIIᵉ siècle, est aujourd'hui un centre de loisirs important de la région.

Easily accessible from the expressway between Vannes and Rennes, Ploërmel attracts visitors who wander through its historical centre or take the 15 km Tour du lac walk around the lake. Lac au Duc, which probably owes its name to the dukes of Brittany who are said to have redesigned it in the 13th century, is now an important centre for leisure activities in the region.

La Maison Bigarrée, datant de 1669.
Maison Bigarrée, or coloured house, which dates from 1669.

Maison des Marmousets (1586) dans la rue Beaumanoir.
Maison des Marmousets (1586) in rue Beaumanoir.

Le château de Comper.
Château de Comper.

Les légendes de Brocéliande
The legends of Brocéliande

La chapelle Saint-Jean
à Campénéac.
*The chapel of Saint-Jean
in Campénéac.*

L'Hotié de Viviane,
une chambre funéraire
néolithique.
*Hotié de Viviane,
or Viviane's House,
a Neolithic burial chamber.*

La forêt de Brocéliande est une terre de légendes, où arbres centenaires, brumes et lacs nourrissent des histoires de druides et d'enchanteurs. Ainsi, la fée Viviane aurait élevé Lancelot du lac au château de Comper et la Dame blanche hanterait toujours le domaine de Trécesson... Tous les détails au Centre de l'imaginaire arthurien du château de Comper.

The forest of Brocéliande is famous for its legends. Its ancient trees, mist and lakes add atmosphere to the stories of druids and magicians. Vivian the Enchantress is said to have brought up Lancelot of the Lake at Château de Comper and the White Lady is still said to haunt the demesne of Château de Trécesson...Find out more at Centre de l'imaginaire Arthurien *in Château de Comper.*

Tout l'imaginaire de Brocéliande surgit de ces arbres centenaires.
These ancient trees give Brocéliande its magical atmosphere.

La mosaïque du « Cerf blanc au collier d'or » dans l'église de Tréhorenteuc.
Mosaic of white stag with golden collar in the church of Tréhorenteuc.

Le Miroir aux Fées, au Val sans retour.
Miroir aux Fées, or Fairies' Mirror, in Val sans retour, or Valley of No Return.

La forêt mythique de la légende arthurienne se découvre à ceux qui osent s'y aventurer. Ses sites légendaires : le hêtre de Ponthus, la fontaine de Barenton, l'Hotié de Viviane apparaissent alors avec encore plus d'intensité au randonneur téméraire. Plus faciles à trouver, le village de Tréhorenteuc ou le bourg de Paimpont feront d'excellents points de départ.

This mythical forest of Arthurian legend reveals its treasures to those brave enough to venture in. Its legendary sites, including the Ponthus beech tree, the Fountain of Barenton, and Hotié de Viviane, or Viviane's House, are even more striking when happened upon over the course of a ramble. The village of Tréhorenteuc or the hamlet of Paimpont are easier to find and make ideal starting points.

L'Arbre d'Or.
L'Arbre d'Or, or Golden Tree.

Le château de Trécesson.
Château de Trécesson.

HORS GR
TOMBEAU DU GEANT

Les indications sont rares et discrètes sur les chemins forestiers.
Signs are few and far between and well hidden on the forest paths.

Trésors cachés
de Brocéliande
Hidden treasures of Brocéliande

Le Tombeau des Géants, sépulture du néolithique.
Tombeau des Géants, or Giants' Chamber, a Neolithic burial place.

Cités de caractère

Small towns of character

La Gacilly, rue Saint-Vincent
Rue Saint-Vincent in La Gacilly.

Rue Saint-Vincent.
Rue Saint-Vincent.

La Gacilly attire chaque année des milliers de visiteurs qui arpentent les venelles fleuries de cette petite cité de caractère. Ils viennent admirer le savoir-faire de la trentaine d'artisans installés et pour l'un des temps forts de la commune : le festival photo en plein air, qui présente entre juin et septembre des expositions en rapport avec la nature et l'homme.

La Gacilly attracts thousands of visitors every year, who wander through the flower-decked streets of this small town of character. They come to admire the skills of the thirty-odd craftsmen who have workshops here, and to attend the open-air photography festival, which stages exhibitions relating to man and nature between June and September.

Exposition de Jacques Perrin, rue Lafayette.
Exhibition by Jacques Perrin, rue Lafayette.

Vue sur l'Aff, le bourg et le Végétarium Yves Rocher.
View of the Aff river, the village and the Yves Rocher Végétarium.

Afrique du Sud, 1991
A Empagani en pays Zoulou, cette ouvrière coupeuse de canne à sucre a utilisé un mélange de tarre et de poudre de racines tinctoriales pour se confectionner un masque de protection pour sa peau. Ce masque la protègera contre le soleil, la chaleur et les insectes.

Exposition de Pascal Maître, rue Saint-Vincent.
Exhibition by Pascal Maître, rue Saint-Vincent.

La Gacilly
La Gacilly

Le Végétarium d'Yves Rocher, une personnalité
étroitement liée à la ville.
The Végétarium plant museum founded by Yves Rocher,
who has close links to the town.

L'allée boisée qui borde l'étang du Moulin Neuf.
Tree-lined alleyway along Etang du Moulin Neuf.

Sur son éperon rocheux, Rochefort-en-Terre domine la campagne de l'Argoat. La cité est construite autour d'un château du XIIᵉ siècle, et bénéficie d'un riche patrimoine architectural. Il est ainsi fort agréable de flâner entre ces ruelles par des successions d'escaliers et de découvrir ce site pittoresque, d'ailleurs labellisé parmi les « Plus beaux villages de France ».

Perched on a rocky ledge, Rochefort-en-Terre looks out over the Argoat countryside. The town is built around a 12th-century castle and has a rich architectural heritage. It is very pleasant to wander through its alleyways linked by staircases and discover this picturesque village, which is listed as one of the most beautiful in France.

Lampadaire et enseigne sur la place du Puits.
Streetlight and sign on Place du Puits.

La venelle du Mitan.
Venelle du Mitan.

Place centrale de Rochefort-en-Terre.
Main square in Rochefort-en-Terre.

Rochefort-en-Terre
Rochefort-en-Terre

Les maisons anciennes et le puits au centre du village.
Old houses and well in the village centre.

La place du Bouffay.
Place du Bouffay.

Cette cité historique a conservé les traces d'un riche passé : l'église Saint-Gilles du XIIIᵉ siècle, l'abbaye de la Madeleine et de nombreuses maisons à colombage. Si Malestroit était autrefois une étape importante du pèlerinage de Saint-Jacques-de-Compostelle, on y croise aujourd'hui tous ceux qui empruntent le canal de Nantes à Brest.

This historic town still has the traces of a rich past, including the 15th-century church of Saint-Gilles, the abbey of the Madeleine and many half-timbered houses. Once a major stage on the pilgrim road to Santiago de Compostela, Malestroit is now a stopping point for those journeying along the Nantes-to-Brest Canal.

La rue des Ponts.
Rue des Ponts.

L'île Notre-Dame.
The island of Notre-Dame.

Le bourg vu depuis l'île Notre-Dame.
The town seen from the island of Notre-Dame.

Malestroit
Malestroit

« Le bœuf au repos », un chapiteau roman de l'église Saint-Gilles.
"The sleeping bull" a Romanesque capital in the church of Saint-Gilles.

Depuis ses fondations au Xe siècle par le chef viking Ben-Hart, la Roche-Bernard a toujours été un passage stratégique : sa position sur un éperon rocheux dominant la Vilaine a facilité sa défense au cours des siècles et les échanges entre les deux rives. Aujourd'hui, la cité offre au visiteur un dédale de charmantes venelles animées par de nombreux artisans.

Since its foundation in the 10th century by Viking chief Ben-Hart, La Roche-Bernard has always been a strategic location: its position on a rocky ledge overlooking the Vilaine river made it easy to defend over the centuries and encouraged trade between both banks. Nowadays, the town offers visitors a maze of charming alleyways populated by many craftsmen.

Le port de plaisance.
The marina.

Le musée de la Vilaine Maritime.
Vilaine Maritime Museum.

Une boutique d'artisan.
A craftsman's shop.

La Vilaine et le port de plaisance.
The Vilaine river and marina.

La Roche-Bernard
La Roche Bernard

La promenade du Ruicard.
Promenade du Ruicard.

Pont de la voie verte.
Bridge on the nature trail.

Les landes de Lanvaux
The moors of Lanvaux

Chevreuils sur la voie
verte de Molac.
*Deer on the Molac
nature trail.*

Musée de la Résistance
bretonne à Saint-Marcel.
*The Breton Resistance
Museum in Saint-Marcel.*

Cette partie bien distincte du Massif armoricain, formé d'une crête granitique de 70 km de long entre Camors et les environs de Redon, est une terre de landes où dominent bruyère, genêts et ajoncs. Elle recèle de multiples points d'intérêts patrimoniaux parmi lesquels châteaux et mégalithes, ainsi qu'une nature encore préservée.

This distinctive part of the Massif armoricain, formed from a 70-km-long granite ridge between Camors and Redon, is a land of moors dominated by heather, broom and gorse. It boasts a wealth of interesting historical attractions, including castles and megaliths, as well as unspoilt natural surroundings.

Château de Trédion. *Château de Trédion.*

Donjon de la forteresse de Largoët.
Keep of the fortress of Largoët.

MORBIHAN

Activités et art de vivre
Activities and Good living

Loisirs variés
Varied leisure activities

▼ La plupart des bateaux de course-croisière partent naviguer en baie de Quiberon depuis le port de La Trinité-sur-Mer, un des lieux de régate majeurs en Europe.
Most yachts set off for a tour of the Bay of Quiberon from the harbour of La Trinité-sur-Mer, which hosts one of the main regattas in Europe.

Le plaisir de glisser sur les eaux calmes au crépuscule. Le golfe du Morbihan est idéal pour la navigation en kayak de mer.
The pleasure of gliding over calm water at sunset. The Gulf of Morbihan is ideal for sea-kayaking.

▼ Sensations fortes en
kite-surf. Le littoral venté
des presqu'îles de Rhuys ou
Quiberon a vu un développement rapide de cette activité
de glisse ces dernières
années.
The thrill of kite-surfing.
The windy coastline of the
Rhuys and Quiberon
peninsulas has seen the rapid
expansion of this sport in
recent years.

Les centaines de kilomètres
de sentiers le long du littoral
offrent de nombreuses
possibilités de circuits de
randonnée, de quelques
heures à plusieurs jours.
Hundreds of kilometres of
paths along the coastline offer
a wide choice of walking
routes, lasting anywhere from
a few hours to several days.

▼ Entre les voies vertes, le chemin de halage et les pistes
forestières, les itinéraires en vélo sont nombreux et variés.
Between the *voies vertes* nature trails, towpath and forest tracks,
cyclists have a wealth of routes to choose from.

Une longue tradition de pêche

A long-standing fishing tradition

▼ Prédatrice d'huîtres, l'étoile de mer commune
est naturellement attirée par les parcs ostréicoles.
An oyster predator, the starfish is naturally attracted to oyster farms.

▲ Une barge ostréicole
naviguant sur un herbier de
zostère. La culture de
l'huître est une activité
économique importante
dans le golfe du Morbihan et
couvre des centaines
d'hectares de Sarzeau à
Locmariaquer.
An oyster barge moving
through eelgrass. Oyster
farming is an important
activity in the Gulf of
Morbihan, covering hundreds
of hectares from Sarzeau to
Locmariaquer.

▼ La pêche à pied
est une activité très
populaire dans le Morbihan.
À chaque grande marée, des
milliers de pêcheurs se
déplacent en famille à la
recherche de palourdes,
crevettes ou bigorneau.
Shellfish picking is a very
popular activity in Morbihan.
After every high tide,
thousands of pickers go about
in family groups, in search of
clams, prawns and winkles.

Si la navigation de plaisance est prépondérante, les eaux du Morbihan sont également un lieu de travail et une ressource pour de nombreux pêcheurs professionnels. Palangre aux bars, casiers à seiches, palourde en apnée… divers types de pêche sont pratiqués selon la saison et les sites, le plus souvent à partir d'embarcations de petites tailles.

Although recreational boating predominates, the Gulf of Morbihan is also a workplace and a resource for many commercial fishermen. Long-line fishing for sea bass, cuttlefish pots and diving for clams are some of the different types of fishing seen here depending on the season, most of the time from small boats.

Oiseaux du littoral
Coastal birds

▼ L'élégante échasse blanche, reconnaissable à ses longues pattes roses. Elle ne s'observe qu'entre avril et septembre. Ce limicole migrateur (du grec *limos*, la vase) hiverne en effet en Afrique tropicale.

The elegant black-winged stilt is recognisable from its pink feet. It is only found here between April and September. This migratory wader overwinters in tropical Africa.

▶ Bernaches cravant. Cette petite oie à la silhouette bien identifiable vient passer l'hiver sur les côtes du département, on peut l'observer en groupe sur les vasières du golfe du Morbihan notamment.

The small, easily identifiable Brent goose overwinters on the coast of the region and groups of them can often be seen on the mud flats of the Gulf of Morbihan.

▼ Pattes et bec orange, le grand gravelot niche en faibles effectifs sur les côtes bretonnes mais les nombreux oiseaux de passage lors des migrations en font un limicole courant sur les plages de sable et galet du Morbihan.

With their orange feet and beak, few ringed plover nest along the Breton coast but many migrating birds stop off on the sandy and stony beaches of Morbihan.

▲ Le bécasseau sanderling
est un limicole vif et adroit
qui se nourrit de petits
crustacés et insectes sur les
pointes sableuses et les
baies.
The sanderling is a lively,
nimble wader that feeds on
small shellfish and insects on
sandy headlands and bays.

▶ Présent toute l'année en
mer, le cormoran huppé
est un excellent plongeur qui
peut descendre chercher des
poissons à des dizaines de
mètres de profondeur.
Present all year round at sea,
the shag is an excellent diver
that can fish at a depth of
dozens of metres.

Faune et flore de la campagne
Fauna and flora of the countryside

▲ Vif et curieux, l'écureuil roux grimpe et bondit de branches en branches, aidé par sa longue queue en panache qui lui sert de balancier.
The lively, curious red squirrel clambers and jumps from branch to branch, helped by its long plumed tail which helps it keep its balance.

▼ Aussi belle que toxique, la digitale pourpre.
The common foxglove, as beautiful as it is toxic.

▲ Le mâle du pinson des arbres, l'un des passereaux les plus répandus. La femelle est plus discrète avec son plumage brun olive.
The male of the common chaffinch, one of the most common finches. The female is more discreet, with its olive-green and brown plumage.

▼ Le chevreuil est le mammifère herbivore sauvage le plus commun en forêt. S'il est plus difficile à observer en milieu de journée, une balade discrète à l'aube en lisière de bois augmente les chances de croiser ce petit cervidé.
Roe deer are the most common wild herbivore in the forest. While it is more difficult to observe during the day, a quiet walk at dawn along the edge of the wood increases your chances of coming across this animal.

▲ Tout juste sortis du nid, les oisillons ne sont pas encore autonomes. Les nombreux allers et retours de l'hirondelle rustique pour nourrir ses jeunes d'insectes attrapés en vol est un spectacle fascinant.

These fledglings have only just left the nest and are not yet able to fend for themselves. The comings and goings of the barn swallow to feed its young with insects caught on the wing make for a fascinating spectacle.

▶ Un ricanement attire l'attention et la silhouette du pic-vert s'éloigne d'un vol onduleux caractéristique. Sa silhouette et son plumage coloré le rendent bien visible dans les vergers, haies et lisière de bois.

First a call draws the attention, followed by the silhouette of a woodpecker taking flight in its characteristically ponderous way. The woodpecker's shape and plumage make it easy to spot in orchards, hedgerows and along forest borders.

Repas bretons *Breton food*

▼ Le breton *krampou(e)zh* désigne indifféremment une préparation salée au sarrasin ou sucrée au froment, même si couramment, et surtout dans le Morbihan et l'est de la Bretagne, on appelle les premières galettes et les secondes crêpes.

The Breton krampou(e)zh can refer to either a savoury buckwheat or sweet pancake, even though in eastern Brittany and especially Morbihan the first are known as galettes while the second are called crêpes.

▶ Associé aux crêpes et galettes, le cidre traditionnel est la boisson incontournable d'un repas breton. Obtenu à partir de la fermentation du jus de pomme, il peut être doux, brut ou traditionnel.

As an accompaniment to sweet and savoury pancakes, cider is synonymous with the traditional Breton meal. It is made from fermented apple juice and is available in three flavours: sweet, dry or traditional.

▼ Prisée des menus gastronomiques et composante des plateaux de fruits de mer, l'huître est essentiellement cultivée dans le golfe du Morbihan, la baie de Quiberon et la rivière de Pénestin. Les huîtres sont le plus souvent dégustées nature, avec parfois quelques gouttes de citron ou de vinaigre d'échalote.

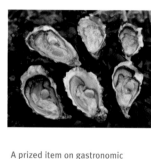

A prized item on gastronomic menus and a key feature of shellfish platters, oysters are mainly cultivated in the Gulf of Morbihan, the Bay of Quiberon and the Pénestin river. Oysters are most often eaten fresh with at most a few drops of lemon juice or shallot vinegar.

* Entrées : €

- assiette de poissons fumés 6,40
- huîtres du Golfe :
  les 6 = 6,80 - les 9 = 10,20 - 12 = 13,60
- Soupe de poisson — 5,80
- rillettes du pêcheur — 4,60
- Tartare de Saumon — 5,60
- Bol de bigorneaux — 4,80
- Assiette de bulots — 5,80

* Plats :

- Moules Frites
  marinières = 9,60 - à l'indienne = 10,80
- Fricassée de Morgate — 10,80
- Sardines grillées — 7,50
- Gambas grillées — 10,40
- Mixte (sardines + Gambas) — 9,30
- Brochette de noix de St Jcq — 15,90
- Duo de brochettes (Gambas, St Jcq) 13,90

▲ La pêche du jour est affichée au menu du bar-restaurant d'un petit port, il n'y a pas de meilleure destination pour déguster un repas de poissons ultra-frais.
The catch of the day is displayed on the menu of a bar-restaurant in a small harbour – there is no better place to savour a meal of the freshest fish.

▶ Kouign amman, qui signifie littéralement gâteau et beurre en breton. Une variante belliloise, nappée de caramel croustillant, est appelée « beurrée ».
Kouign amman, which literally means cake and butter in Breton. This variant from Belle-Ile, covered in crunchy caramel, is called beurrée.

Fêtes

Festivals

▲ Nés de la tradition orale, les chants marins étaient avant tout des chants de travail sur les voiliers d'autrefois.

Sea shanties from the oral tradition used to be heard on sailing boats in former times.

▼ Les fêtes historiques du 14 Juillet à Vannes revisitent pendant plusieurs jours une période de l'histoire de la ville.

The historical Bastille Day festival in Vannes involves re-enactments of a specific period in the town's history that last several days.

◀ Le Festival interceltique de Lorient est devenu au fil des ans l'un des plus grands festivals internationaux. Chaque année au début du mois d'août, il réunit les groupes de musiques et danseurs des régions d'origine celtique, de l'Acadie à la Nouvelle-Zélande.

Over the years, the Interceltic Festival of Lorient has become a major international festival. Every year in early August, it brings together groups of musicians and dancers from Celtic regions all over the world, from Acadia to New Zealand.

Observer grands et petits voiliers traditionnels naviguer par centaines dans le golfe du Morbihan est un événement à ne pas manquer. Tous les deux ans durant la semaine de l'Ascension, la Semaine du golfe réunit des vieux gréements qui se déplacent de port en port. Chaque escale est alors animée par des danses bretonnes et chants marins.

Watching hundreds of traditional sailing boats both large and small in the Gulf of Morbihan is a spectacle not to be missed. Every two years at the end of May, Semaine du golfe, or Gulf week, brings together old sailing boats that travel from harbour to harbour. Each stop is celebrated with Breton dancing and sea shanties.

Ile de Groix.
Ile de Groix

Table des matières

Table of Contents

Éditeur : Anne Cauquetoux
Coordination éditoriale : Solenne Lambert
Conception graphique et mise en pages :
studio graphique des Éditions Ouest-France
Cartographie : Patrick Mérienne
Photogravure : graph&ti, Cesson-Sévigné (35)
Impression : Mame Imprimeurs, Tours (37)

www.editionsouestfrance.fr